JN153957

かがくるBOOK

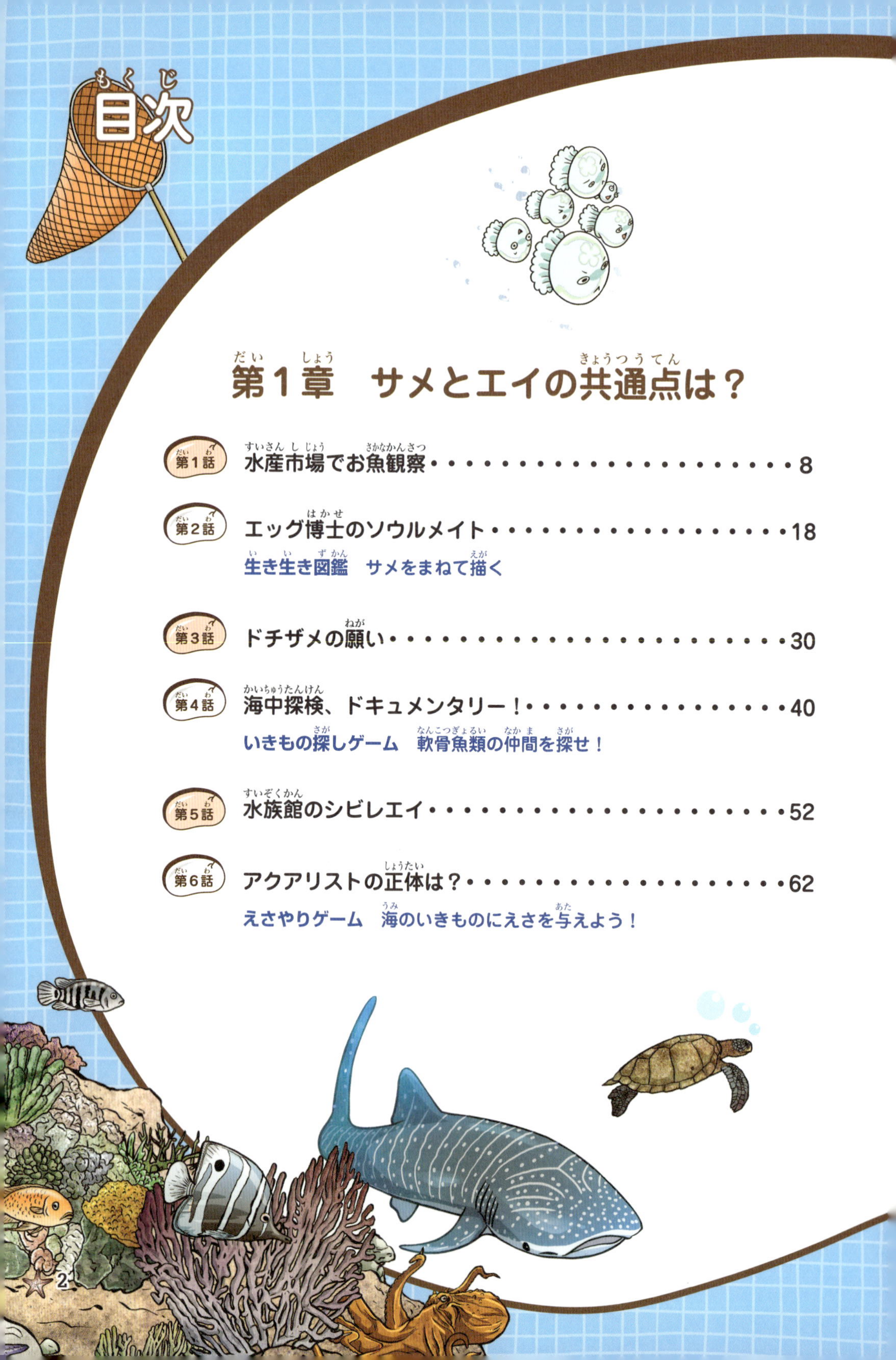

目次

第1章　サメとエイの共通点は？

第1話　水産市場でお魚観察・・・・・・・・・・・・・・・・・・・・8

第2話　エッグ博士のソウルメイト・・・・・・・・・・・・・・・・18

生き生き図鑑　サメをまねて描く

第3話　ドチザメの願い・・・・・・・・・・・・・・・・・・・・・・30

第4話　海中探検、ドキュメンタリー！・・・・・・・・・・・・・・40

いきもの探しゲーム　軟骨魚類の仲間を探せ！

第5話　水族館のシビレエイ・・・・・・・・・・・・・・・・・・・52

第6話　アクアリストの正体は？・・・・・・・・・・・・・・・・・62

えさやりゲーム　海のいきものにえさを与えよう！

第2章　フニャフニャ、タコ・イカ・クラゲ

第7話　挑戦！　水中ドローン探査！・・・・・・・・・・・・・・・・78

第8話　海の中のかすかな光・・・・・・・・・・・・・・・・・・・・88

生き生き観察レポート　頭足類を観察する

第9話　電撃比較！　タコとイカ・・・・・・・・・・・・・・・・・100

第10話　クラゲの群れの襲撃・・・・・・・・・・・・・・・・・・110

間違い探し　クラゲ退治作戦！

第11話　海上でピンチ！・・・・・・・・・・・・・・・・・・・・・122

第12話　嵐の中のクラゲの群れ・・・・・・・・・・・・・・・・・132

ふきだしを埋めよう　エッグ博士の絵日記

チーム・エッグの制作日記①②・・・・・・・・・・・148

正解・・・・・・・・・・・152

写真提供：Shutterstock、聯合ニュース、iStock

＊イラスト化にあたり、いきものをデフォルメして描いています。

登場人物

エッグ博士

瞬発力★★★★★

- **誕生日**　6月15日（ふたご座）
- **血液型**　A型
- **今回のミッション**　①ドチザメとの交流

②ペットボトルのいかだ作り

③シビレエイとデンキウナギの比較

ヤン博士
採集力★★★★★
・誕生日　1月1日（やぎ座）
・血液型　AB型
・今回のミッション
①クラゲ退治
②タコを捕まえるためのえさの設置
③海と海辺のゴミ拾い
準備完了！
ウン博士
分析力★★★★★
・誕生日　2月17日（みずがめ座）
・血液型　A型
・今回のミッション
①水中ドローンで海のいきものの観察
②イカとタコの比較　③水族館訪問
水中ドローンを
使ってみよう
かな？

第1章

サメとエイの共通点は？

サメとエイの共通点、それは軟らかい骨と、
しっかりとした硬い皮膚を持っていること。
軟骨魚類に会いにいこう！

第1話

水産市場でお魚観察

ついに夏だ～！
ワイ
ワイ
チーム・エッグ

ヤッホ～、楽しみ！
海、海～！

海よ、待ってろ！サーフィン王のエッグ博士がいざ参るぞ!!
ザザァ

僕は採集王の
ヤン博士！
海の中の不思議ないきものを
観察するんだ！

よし、出発しよう、
みんな……。
イェ～イ
フリ
フリ
バタ
バタ
ウィーン

しばらくして
さあ、ここだ。
ブ〜ン
オオ、イエ〜イ！やっと着いた！
叫ぶぞ〜！
海よ、僕が来たぞ！
ワァー

でも、ここで合ってる？海が見えないけど。
キョロ
キョロ
ただの都会みたいだけど……。
クンクン
ここで合ってるよ……。

あっ!?どこからか海のにおいがする！
あそこみたいだよ。
海のにおいについていこ……。
クンクン
ヒクヒク

ピタッ

う、海……。

海の王さま……、水産市場!?
何だ、海じゃなくてここなの?
海の王さま
水産市場
ザワザワ
ガーン
ヒヒ
イヒ

でもまあ、見るものは多そうだよ。
ウン博士……。よくも僕らをだましたな!
ククく

ここはいろんな海のいきものを簡単に観察できるんだ。さあ、早く入ろう!
……。
ザッザッ

さあ! エッグ博士、スマイル〜!
ブルブル
プラス思考のヤン博士……。
ス、スマイル。

水産市場の中の海のいきもの
エビカニ水産
3282-392X
坂名商会
3282-392X
ブリ
タコ
いらっしゃい！この大きなブリ、持ってみるかい？
ウチワエビ
これはウチワエビだよ。
ピチャッ
ササッ
これ見て！タコもいるよ!!!
わ〜、体が本当にウチワみたい。
お、重すぎる〜！
ウッ〜
これはカゴカキダイだよ。観賞用として飼う人もいるよ。
うわ、タラバガニがすごく大きい！
ササッ
この魚は模様がトラみたいでカッコいい！
カゴカキダイ

クエ
すごく大きなエイとハモもいるよ。
ハモ
この魚はクエ。深い海にいるんだ。
これはヒラメ？
ソゲだよ！
両方とも正解だよ。ヒラメともソゲともいうんだ。
タラバガニ
ヒラメ

やめて、離して！
ククッ、タコに気に入られたみたい！
2人とも不満そうだったけど、やっとここの魅力がわかったか。
ハハハハ
ニヤッ

あれ？

オオ、ここにサメもいるね！
オオ〜
ピタッ

映画で見た恐ろしいサメとは違う種類なのかな？。
ガオ
この子たちは小さくてかわいいね。
このサメはドチザメだよ。体が小さくておとなしい性格なんだ。

サメの種類を調べてみよう

サメは軟骨魚類に属する海のいきもので、400種あまりのサメが世界中の海に生息しています。
サメの種類について調べてみましょう。

軟骨魚類とは硬い骨の代わりに軟らかい骨（軟骨）と硬い皮膚を持っている魚のことをいうんだ。

頭の両側がハンマーのように飛び出ている。

歯が鋭く気性が荒い。

体の側面にしま模様がある。

体が灰色で、大きな三角形の背びれがある。

サメの中でもっとも大きく、とてもおとなしい。

鼻先が長くとがっていて、背中が青い。

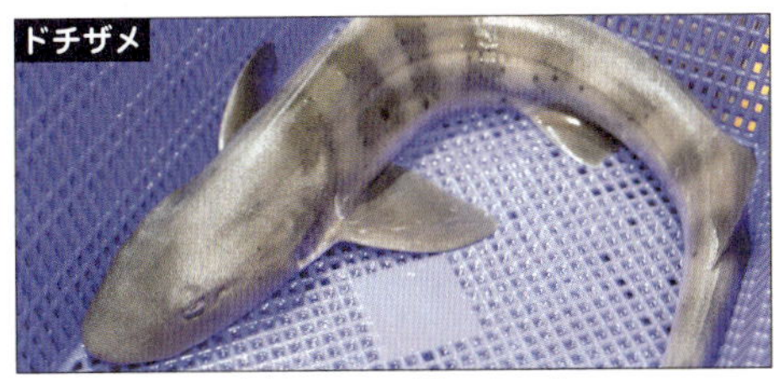

体にたてのしま模様があり、春に子を産む。

赤褐色の地に黒褐色の帯がある。

さっきから
ずっと僕を見てる。
もしかして……!?
ジーッ

ザブーン
僕みたいに
すごく活発。
もしかして……!?
ザブーン

このサメ!!
この人!!
この出会いは
きっと運命
……!

エッグ博士は
どこに行ったんだ?
サメの水槽を
ずっと見てたけど。
カシャッ
カシャッ

ヤン博士!!
ウン博士!!
ザブーン
ザブーン

＊ソウルメイト：深いつながりを感じ合える人。ソウルは魂、メイトは友だち。

エッグ博士のソウルメイト

うん！
2人とも
ありがとう。
どう、
満足した？
エッグ博士の
ソウルメイトが住む
家だから一生懸命
作ったよ！
ハァ
ハァ

出会った瞬間に
感じたんだ！
このドチザメは
何か特別だって
ことが……。
君らも
すぐにわかるよ。

この人が僕を
海に返してくれるって
ことを……！
コミュニケーション
失敗
このサメは
僕らと一緒に
住みたがってるって！
本当の家族を
探してくれる
よね？
ソウルメイトって
呼んでくれる
よね？
どうだろう
……。
あの2人、
本当に
通じてるの？

さあ、食事の時間だよ。
海に出る前に体力充電！

掃除タイム！
ゴシゴシ
スッスッ
海に行く前にきれいに！

おっ、やっと海に行く準備？
そろそろ準備を……。
キチッ
キチッ

おやすみ〜、ドチザメさん！
バタッ
グゥ
ドンドン
寝ちゃうの？
海に行かないの？
ねえ !!!

寝返り
ムニャ、誰か呼んだ？

行ったり
来たり
あれ……？

次の日の朝
チーム・エッグ
事務所

エッグ博士、
おはよう！
ドチザメはどう？
……。

みんな、僕の
ソウルメイトに何か
問題が起きたみたい！
ゲッソリ
どうした!?
何ごと！

ドチザメが寝ないんだ！
もしかしてどこか
悪いのかな？
休まずに
動き回って
るんだ！

サメはもともと
寝るときも動く
いきものなんだよ。
本当!?

ヤン博士の言う通りだよ。
他の魚と違ってサメには*浮き袋がないんだ。
だから外洋を泳ぐサメはずっと泳いでないと
底に沈んじゃうんだ。

硬骨魚類

- 硬骨魚類は硬い骨を持ってるよ。
- 浮き袋を利用して水中で浮いたり沈んだり
  する動きを調節できるよ。

軟骨魚類

- 浮き袋がないので泳がないと沈んでしまうよ。
- サメの肝臓は水より軽い脂肪がいっぱいで、
  水中で浮く手助けをするよ。

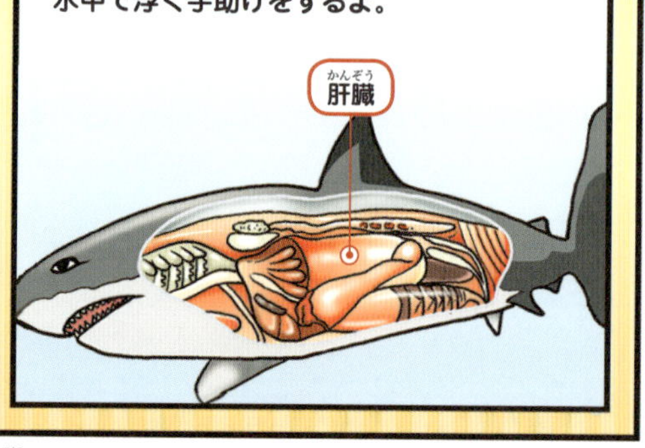

*浮き袋：水中で浮いたり沈んだりするのを手助けしてくれる空気袋。

＊ドチザメは岸に近い浅い海の底近くにいます。

その日の夕方
グーグー
ZZZ
うっ、夕方なのにもう寝てる。
僕も眠いよ。夢の中で海に行こうっと……。
ハ〜ァ
!!
プカッ
あれ？ここは海の中？

あっ、サメだ！

ドチザメくん？
僕はここだよ！

はっ！
あれは恐ろしい
ホホジロザメ？
腹ペコ
だったから
ラッキー！
ド
ヒイッ
ジュルッ
ドーン

ヴァオ
ウワッ、
とがった歯が怖い！
助けて～!!
ジタ
バタ

ドン

ガブッ
僕のソウルメイトは僕が守る！
はっ、ドチザメくん……!!

エッグ博士、早く僕の背中に乗って！
ササッ

ザァァ
怖かった……。
怒りをコントロールできない奴だから早く逃げなきゃ！

ところで、ドチザメくん！いつの間にこんなに大きくなったの？
ふふっ！僕は海にいれば1.5mくらいになるんだ。

僕は海に必ず戻らなきゃいけないんだ。おばあちゃんがいるあの場所へ。
ZZZ
ハッ
ガバッ
わかったよ!!ドチザメくん、君が何を望んでいるのか!
?!

サメをまねて描く

下のスペースにサメの絵を同じように描いた後、色を塗ってみましょう！

ドチザメ

・全長：最大1.5m
・体の色：灰色
・性質：比較的おとなしい

イタチザメ

・全長：大きいものは６ｍ以上
・体の色：灰色を帯びた茶色
・性質：攻撃的

第3話 ドチザメの願い

?
ブル〜ン

僕には望みが1つある。海に戻って
またおばあちゃんに会うこと。
ワハハ
あんたたち遠くに行っちゃダメよ！
今度はお前が鬼だぞ。

おばあちゃん、元気？
孫たちの世話で大変だね！
キャハハ
そうね。20匹もいるからね〜。

娘が私より早くあの世に逝っちゃうとはね。
お母さん、うちの子たちをお願いね。
一度に多くの子どもを産んで……。

おばあちゃん～！

どうしてお前はみんなと遊ばずにおばあのそばにいるんだい？
僕はおばあちゃんと遊ぶのが一番好きなんだ～。

今はそう言ってもすぐに独り立ちするよ！
いやだ。おばあちゃんと一生暮らすんだ！

このきびしい海で生きていくには獲物を捕まえる練習もしなくちゃいけないし、気をつけることも学ばなきゃいけないのよ。
シュン……。

おばあと一緒に近くを見学してみるかい？
わ～い！
ママを早くに亡くした僕はおばあちゃんと海を見学する時間が何よりも幸せだった。

でも、おばあちゃんが言った通り、すぐに1人で過ごす時間が多くなり始めたんだ。
キョロ
キョロ
あれは何？
ほら！　危険だから＊テリトリーの中だけで遊ばなきゃ！
ビューン
子どもじゃないんだからほっといてよ！
＊テリトリー：領土、なわばり。
ウワッ！おばあちゃん！
ウンニョン水産
ここはどこ？
結局、おばあちゃんの話を聞かずにウロチョロしていてこうなっちゃったんだ……。
海に帰りたい……。おばあちゃん、会いたいよ！
またどこに行くの？
もう、うるさい！

みんな、
準備はできた!?
うん、
準備OK!
真っ暗……。

パタッ

僕らがいい所に
連れてってあげる!
ブ〜ン
やあ!
もう少しの辛抱だよ!
ユラ
ユラ
ここはどこ? 僕を
どこに連れていく気?

ブーン
みんな～、
ドチザメくんはどう？
ピチャッ
ピチャッ
少し不安そう
だけど……。

えさでも
あげてみよう。
ガサッ

ガブッ
ビクッ

ドチザメも肉食動物だからね。
他のサメと比べたら歯が小さいけど、
とがった形をしているよ。
わ～、ドチザメの歯の力って
こんなに強いんだね。
前側の歯
後ろ側の歯
サメの歯は前の歯が抜けたら
後ろの歯が出てきて、
歯が抜けても一生、生え続けるんだ。
なめんなよ！

海の中の最強の捕食者、サメ

サメは海の最上位の捕食者です。鋭く強い歯で海の中のいきものを捕まえ、食べて生きています。海の中の食物連鎖について詳しく見ていきましょう。

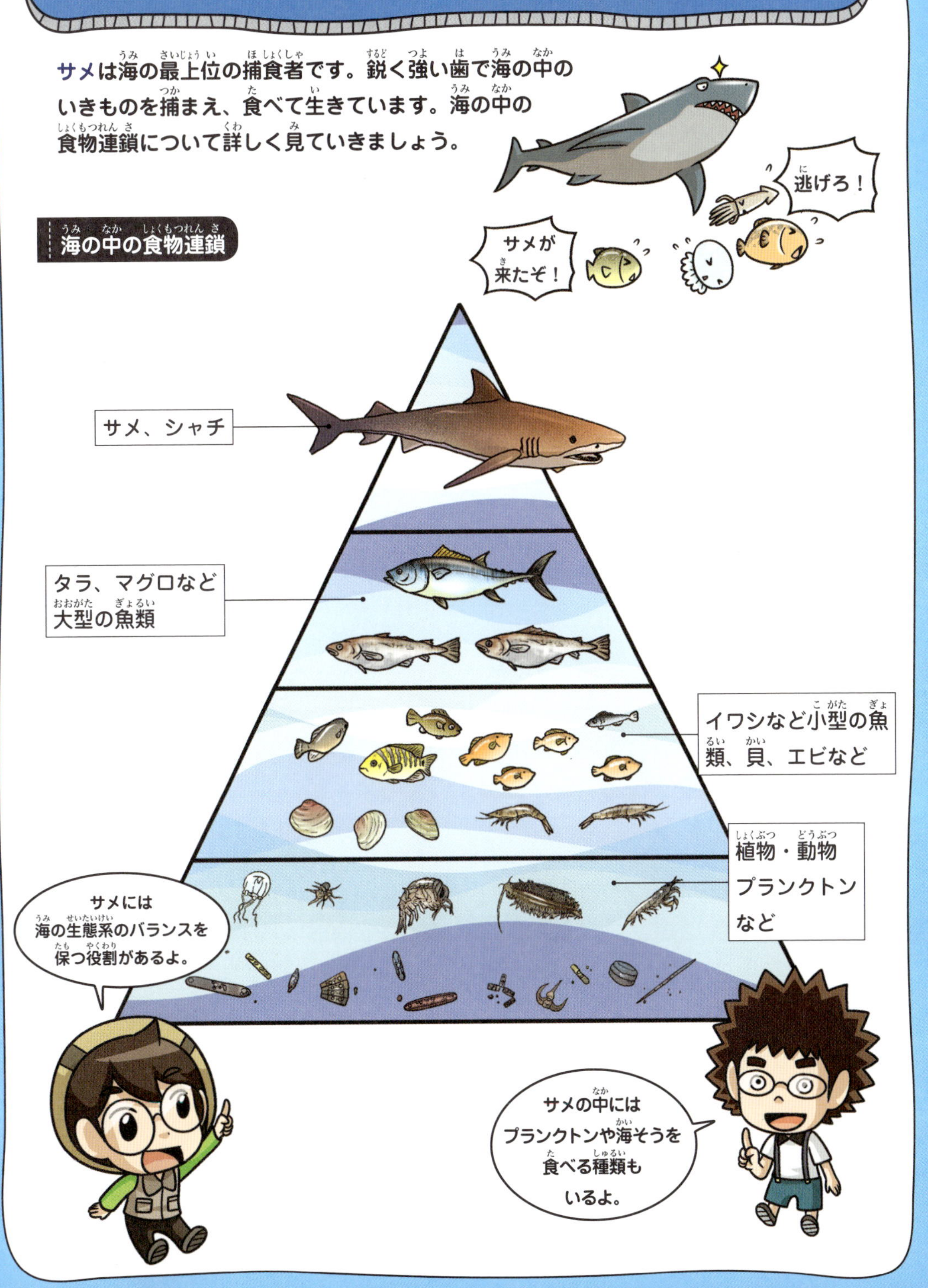

ザー
あっ、この音は!?
ドチザメくん、君も
聞いてみな!
ザー
ウィ〜ン

そう、そう、
もう安心して
いいよ。
何だろう、
このなつかしい
音は?
スルスル
おっ、
反応してる
みたいだぞ。

ザー
僕の故郷、
海の音だ……。
ザー
これは
夢なのか?

違う!!!　本物の
海じゃないか!?
キラッ
ブ〜ン
ピチャッ
ザザァ

この人……!
本当に僕の心が
読めたの!?

ありがとう、
エッグ博士!!
ニコッ
ジーン

やっと
海に着いた～！
ワァー
ギーヨ
ギ～ヨ
ザザー

さあ、もう家に
帰る時間だよ。
でも、
もし僕たちとまた
暮らしたければ……。

ピシャッ
じゃあね、
人間さん!!

快速疾走
ヤッホー!!
ビューン
ドチザメくん、
バイバイ！
（は、速い……）

ワオ！
すごいスピード！
カシャッ
プハハ〜。
情が移るのはいつも
エッグ博士の方だけ
だね〜!!
僕の名前は
おぼえている
かな？
ワハハ
チェッ

坊や、
生きていたのね！
なんてことなの！
おばあちゃん、
会いたかったよ！
エッグ博士が助けて
くれたんだ！
家族と幸せに
暮らすんだよ〜、
ドチザメくん！
バイバイ〜
海に帰ったドチザメは、
長い間エッグ博士の名前を
おぼえていたそうです。

海中探検、ドキュメンタリー！

エイは大きな胸びれで泳ぎますが、その様子はまるで空を飛んでいるように見えます。イトマキエイなどの大きなエイはジャンプして海の上に飛び上がることもあります。
ウワ！
カッコいい！
見てると自然にうなっちゃうんだよ！

そういえば水産市場でもエイを見たよ！
コクッ
エイは世界中に約500種いるんだ。

それに
エイは軟骨魚類に
属すんだ。
軟骨魚類ということは
サメと同じだね。

そう。だから
サメとエイは遠い
親戚の間柄だと
言えるんだ。
両方とも軟骨魚類で、
浮き袋がない
という共通点が
あるよ。

え？ じゃ、
エイもサメのように
休まずに泳がないと
沈んじゃうの？
エイはほとんどが
海底に生息しているから、
多くのサメみたいに一生懸命
泳ぐ必要はないよ。
おお～、本当だ～。

僕も骨が軟らかい
方だけど、エイと遠い
親戚かもね？
耳も
動かせるし！
それなら僕も、
軟骨ダンスを
踊るよ～！
ピクッ
ピクッ
フニャ
フニャ

サメとエイを調（しら）べよう

サメとエイはどちらも軟骨魚類（なんこつぎょるい）に属（ぞく）しています。見（み）た目（め）は違（ちが）いますが、実（じつ）は似（に）ている点（てん）がたくさんあります。エイとサメのそれぞれの特徴（とくちょう）を調（しら）べてみましょう。

サメとエイの共通点（きょうつうてん）

- 体（からだ）が軟（やわ）らかい骨（ほね）（軟骨（なんこつ））でできている軟骨魚類（なんこつぎょるい）。
- 浮（う）き袋（ぶくろ）がありません。
- 卵（たまご）を産（う）む卵生（らんせい）の種（しゅ）と、稚魚（ちぎょ）を産（う）む胎生（たいせい）の種（しゅ）がいます。
- 口（くち）が体（からだ）の下側（したがわ）にあります。
- 皮歯（ひし）と呼（よ）ばれる歯（は）のようなうろこにおおわれています。

☆豆知識（まめちしき）☆

えらの穴（あな）の位置（いち）が異（こと）なるサメとエイ

エイは腹側（はらがわ）にえらの穴（あな）があって、サメは体（からだ）の側面（そくめん）にえらの穴（あな）があるんだ。

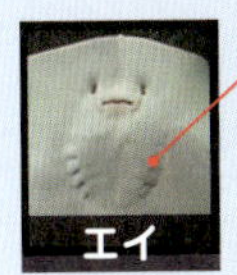

えらの穴（あな）の位置（いち）

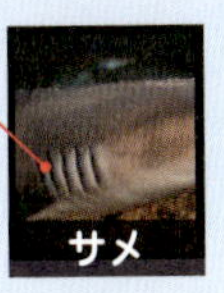

サメとエイの体（からだ）の構造（こうぞう）

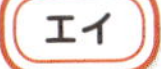

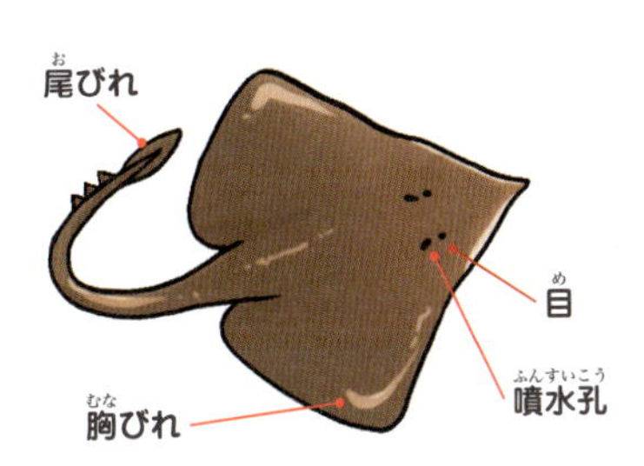

エイの背中側（せなかがわ）

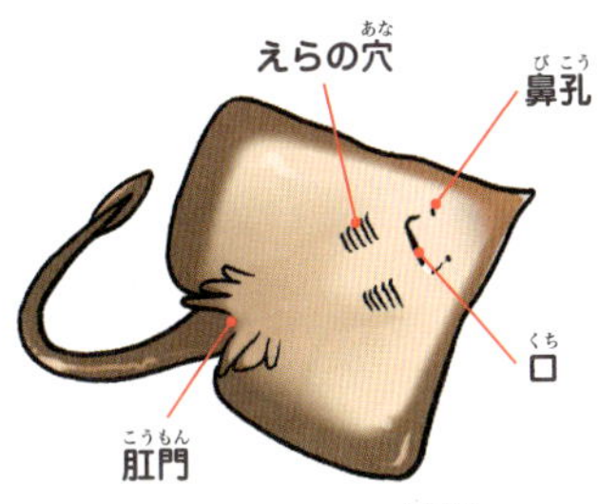

エイの腹側（はらがわ）

サメ

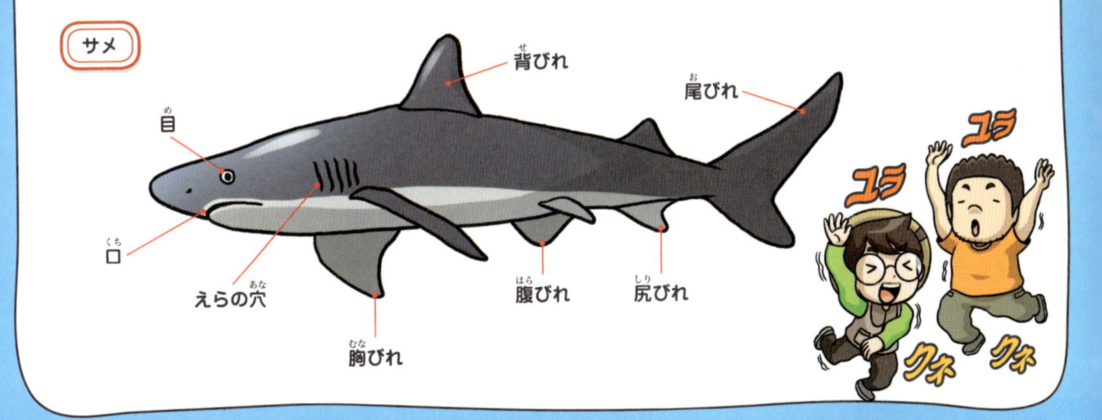

と・こ・ろ・で！
長い歳月、地球で暮らしてきた
海のいきものが人間のせいで
苦しんでいることを知っていますか？
集中して、集中!!
ビクッ

プラスチックやビニール、捨てられた網など、
人間が出すゴミによって多くの
いきものが死んでいっています。
そんな……。
ひどいよ……。
これ何なの !?
ウル
ウル
ありえない！
本当に深刻だ……。

海のいきもののために私たちができること

多くの海のいきものが、人間が捨てたゴミのせいで苦しんでいます。海のいきものを保護するために私たちができることを調べてみましょう。

1. 風船を空に飛ばさないこと

空に飛んでいった風船が海に落ちると、海のいきものがのみ込んでお腹をこわすことがあります。

2. 使い捨て用品の使用を減らすこと

海に流れ込んだ使い捨て用品のゴミを、海のいきものが食べものと間違えることがあります。

3. 海辺でゴミ拾い

海にゴミが流れ込まないよう、海辺に捨てられたゴミを掃除しましょう。

そうか……。
海の環境問題は深刻だね……。
海の中の探検
ドキュメンタリー
ー終わりー

エッグ博士！終わったよ、出てきなよ！
シーン
……。

エッグ博士が急に暗くなっちゃった。
ドチザメのことがすごく心配みたいだね。

雰囲気を変える必要があるね。
エッグ博士の笑顔を取り戻す方法はないかな……。
フム
ウウッ～

アッ！
思いついた！

あれ、どこ行くの??
まずはついてきな。
ブラ
ブラ

ここは……。
ウワ～
ザアァ
海のいきものが
いっぱいの
水族館!!!

エッグ博士の
機嫌がよくなると
いいけど……。
キョロ
キョロ
ウーン
ドキ
ドキ

わ〜、
これは!?
海の上を
ジャンプする
イトマキエイだ!

おや〜、これは!?
とがった歯、
シロワニだ!

あっ、
あれは!
公演中の
人魚姫!!

これは!!!
ノッソノッソ、
ウミガメ〜!

ザァァ
ここは……！
ちょっと前に夢で見た
海の中と同じだ……！
2人とも、ありがとう！
早く取材を始めよう!!
よ～し!!!
タッ

軟骨魚類の仲間を探せ！

水族館にいろいろな海のいきものが集まっています。
この中で**軟骨魚類**の仲間を探して○で囲みましょう。

ヒント ドチザメ、ジンベエザメ、シロワニ、シュモクザメ、イトマキエイ、シビレエイ

正解：152ページ

第5話

水族館のシビレエイ

シビレエイ、何してるんだ？
シッ！静かにして、イトマキエイ。

獲物ロックオン！
ここは誰もいないなあ。

ジジジジッ
ウワッ！

ジワ
ジワ

モグモグ、
やっぱり食べものは
電気焼きが一番
うまい〜！
ビックリした。
狩りをして
たんだね。
ムシャ
ムシャ

ジジジジッ
ハッ！
何だろう！?

ジジジッ
ウフフ！
電気ショック波発射！
キャッ！
ウッ！
ゲッ！
ジジジジッ

プッ、シビレエイ！
たったそれぐらいじゃ
イワシ１匹捕まえられない
だろ〜？
ガブッ
陰気な
デンキウナギ！
またからかいに
来たのか？
シビレエイ
デンキウナギ
感電危険!
ご注意ください。

フッ……
ワニの丸焼き事件、
聞いたこと
ないかい？
俺は世界で一番大きい
アマゾン川をサバイバルした
デンキウナギだぜ！
ゲッ
ジジッ

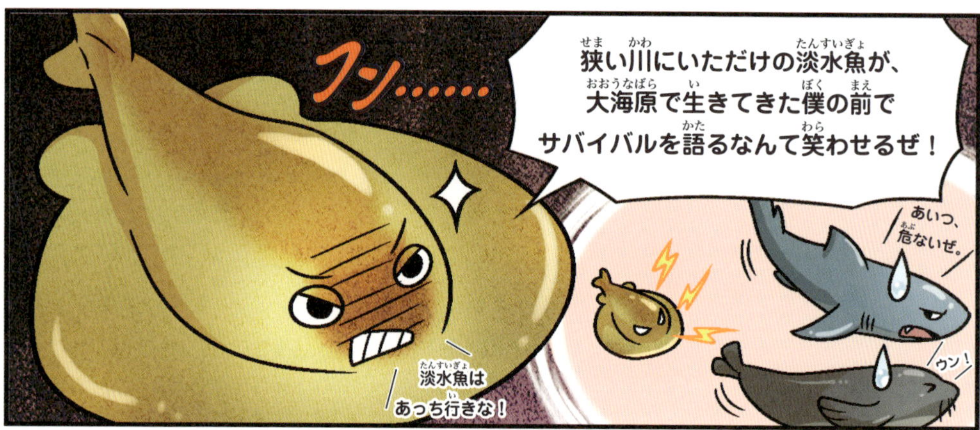
狭い川にいただけの淡水魚が、
大海原で生きてきた僕の前で
サバイバルを語るなんて笑わせるぜ！
フン……
あいつ、
危ないぜ。
ウン！
淡水魚は
あっち行きな！

ジ
ジッ
どっちが
本当に強いのか、
ケリをつけようぜ！

シビレエイ対デンキウナギ

シビレエイとデンキウナギは、体から出る電気で獲物を捕まえたり、敵を脅したりします。シビレエイは60ボルト、デンキウナギは500～800ボルトの電気を発生させることができます。

背中側の左右に電気を発生させる発電器官があるよ。

ビリビリ

シビレエイ

発電器官　発電器官

海に生息するシビレエイは、電気を出して小さな魚などを感電させ、捕まえて食べます。弱い電気を出す発電細胞がたくさん集まって発電器官となり、強い電気が発生します。

対

尾の発電器官で500～800ボルトの電気を発生させるよ！

ジジッ

デンキウナギ

アマゾン川やオリノコ川に生息するデンキウナギは電気を出して魚を捕まえ、食べます。長い尾に発電器官があり、強い電気を発生させます。

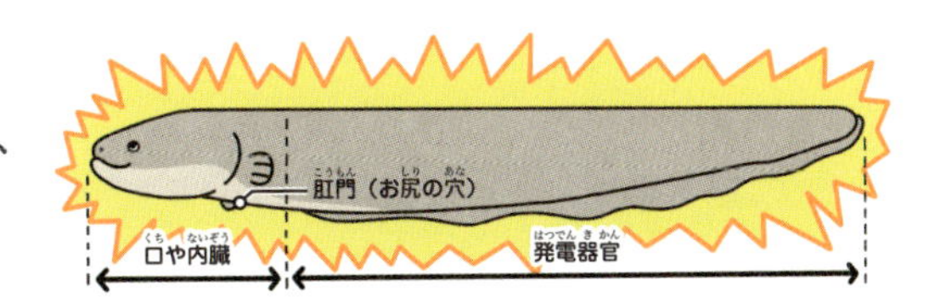

ウワ〜
電光板の数字が上がってるぞ！
チリン チリン
すごいね、デンキウナギ！
793
ビリ
ビリ
ワアァ
デンキウナギ
感電危険！
ご注意ください。

いつもあいつばかりが注目されている。
チェッ

見ただろ？ シビレエイ！
水族館の電気王はこの俺だよ、俺！
ワァ
キャ〜
チェッ！

エッグ博士、ウン博士！
このエイを見て！
シビレエイ

やっと僕の真価がわかる人間が現れたみたいだ！
すごくかわいいよね！僕のように笑ってる顔なんだ。

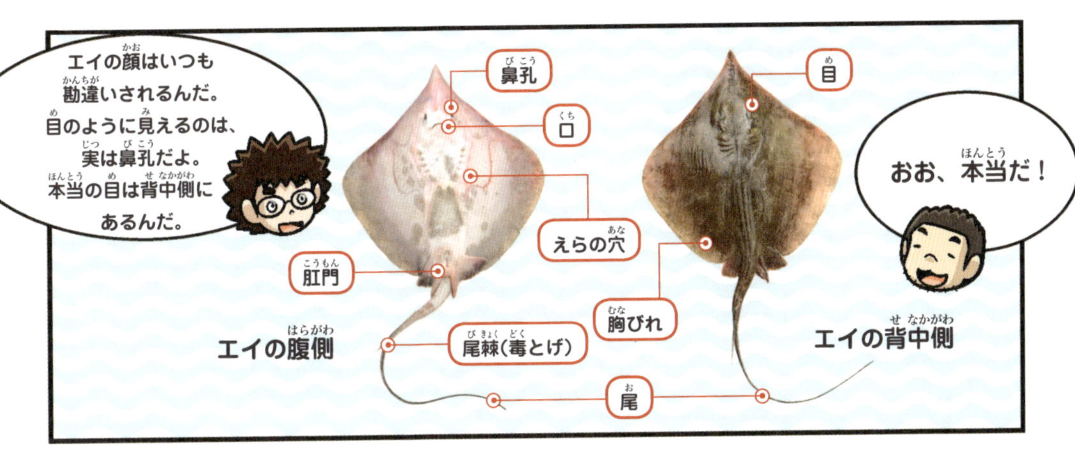
エイの顔はいつも勘違いされるんだ。目のように見えるのは、実は鼻孔だよ。本当の目は背中側にあるんだ。
鼻孔
口
えらの穴
肛門
尾棘（毒とげ）
尾
エイの腹側
目
胸びれ
エイの背中側
おお、本当だ！

でも、このエイは他のエイよりもしっぽが太くて短いね。

シビレエイはしっぽに尾棘（毒とげ）がない代わりに電気を出すんだ。
不思議！デンキウナギやデンキナマズは見たことがあったけど、シビレエイは初めて！
僕も！

シビレエイが聞いたら残念がるよ。シビレエイの発電能力は昔から有名だったんだぞ～。
古代ローマではシビレエイを頭痛とかの痛み止めに使ってたんだって。
頭痛にはシビレエイが効果てきめんだよ！
ビリ
ビリ
ブルブル
ほ、本当？

シビレエイやデンキウナギを利用して発電所をつくってもよさそうだね！
それはどうかな？ 瞬間的に高い電圧を発生させはするけど、その量は一定じゃないから発電所で活用するのは難しいよ。
それは困るよ～。

ピクッ
それにシビレエイが発生させる電圧は思ったより高くないんだ。
デンキウナギやデンキナマズといった淡水魚に比べて低いらしいよ。
本当？

電圧を測る装置もデンキウナギの方にだけついているだろ。
80
ハハハ
ブルブル
そうだね〜。

シビレエイ様をバカにするな〜!!
ジジジッ
ジジジッ
ジジジッ
おお！急にシビレエイの体にパワーが入ったぞ！

電気スパーク発射！
ウハハハ〜。やろうってのか？
ジジジッ
ジジッ
ジジジッ
ウワ！ 両者の対決が始まったみたい！
ウワ〜
これは見逃せないね。動画にして、みんなに伝えよう！
ホオ

●REC
ピカ
ピカ
こんにちは、エッグ博士だよ！今日は水族館の電気を出す魚に会いにきたよ！

それではシビレエイとデンキウナギの素敵な電気ショーを鑑賞しま……。
クルッ

ふー、少し休もう……。
シーーン
わかった、少し休戦……。
シビレエイ
しょう……!?

もう終わったみたい。行こう～。
ササー
あ、あれ……？

急に止まったぞ。
ヘコ
ヘコ
少し前の名シーンをもう一度見せてくれないかい？

その子たちは
乾電池じゃないんだぞ。
ずっと電気を起こせるって
思ってるのか？
スッ

どんな生命体でも
十分な休み時間がなきゃ！
いきもの博士がそんなことも
知らないのか!?
アッ！
あなたは……!?

第6話

アクアリストの正体は？

足ヒレ～！
ワン・アシヒレ
だよね!?
クアッ
クアッ

ここでは
ワン博士って
呼ばれてる
んだぞ！
昔のあだ名は置いといて。
僕の名前はワン・サノ、
忘れたのか！
チラッ
殺気
アクアリスト
ワン・サノ
かわいい
あだ名じゃないか、
なぜ……。

え？ 足ヒレ？
君があの足ヒレ
なの？
キャッ
キャッ
ウワ～、
久しぶり、
ワン・アシヒレ！

＊アクアリスト：水族館や熱帯魚ショップなどで働く人のこと。

でも、本来なら
君は僕らの第４のメンバーになって
いたはずなのに……。
ファイト
ある日、
急に僕らから
離れたよね。
エイッ！
もう君たちとは
遊ばない！
何だよ！？
足ヒレ！！

僕らから離れた理由は
いったい何なの？
おぼえて
ないの？

僕が
昆虫採集が下手で、
君たちが
責めたからだろ！
カーッ

いいよ、いいよ！
もう過ぎた話さ。
だからって
からかった
わけじゃないよ！
僕はおぼえてるよ。
毎回日が落ちるまで
１匹も捕まえられなくて、
僕らに捕まえてって
頼んでたね。
ハハ……。
そうだっけ？
実は昆虫が
怖かったからだった。
ヒラ
ヒラ

考えてみたら、
そのおかげでこんな
立派なアクアリストに
なれたんだ。
今となっては
サンキューだ！
ウィンク～
あ、
うん……。

じゃ、君はここで
魚にえさをあげて
遊んであげてるの？
12

プハハ～。
そんなに単純なら
いいけどね。
アクアリストは
水中生物の専門家で、いきものたちの
健康を観察して、水族館の管理も
しなきゃいけないんだ～！
アクアリスト
ワン・サノ

ついてきな。
僕の仕事を
見せてあげるよ。
いいね！

アクアリストの仕事
水生生物の栄養管理
モグモグ
水槽の水の管理
清潔～
水族館の設備管理
キーッ
水生生物の健康状態の観察
クン
クン
展示企画やイベントの運営
水槽の掃除
ゴシ
ゴシ
海や川のいきものが水族館という環境で元気に過ごせるよう、管理するのが僕らの任務なんだ。
こんなにたくさんの仕事をするの？

キャー！
何なの！
えっ、何だろう？
あのエイ、どうしたの!?

サノ、一緒に行こう！
タッ

パタ
パタ
シュン
シュン
ピカッ
ピカッ
ピカッ
まあ、怒ってるみたい！
早く写真撮ろう！
カメラのフラッシュのせいでアカエイがストレスを受けたみたい！
カシャッ

皆さん、すぐにカメラのフラッシュをOFFにしてください！魚たちが驚きます！
パチッ
パチッ

ダメだ。入らなきゃ！
あっ、待って……！
スタッ

サッ
ピタッ

☆注意☆
アカエイを含む一部のエイはしっぽに毒とげがあるから気をつけてね。
ドブン
アカエイは毒とげがあって危険なはずだけど……。

アカエイさん、
僕が行くよ！
ザァァ
パタ
パタ

ソロリ
落ち着いて。
すごく驚いただろ？

パタ パタ
そうか、もう
平気だよ……。
すごい！
エイが少しずつ
落ち着き始めた！
ワァ

＊スナメリ：全長約２ｍの小型イルカ。

その他にも
人間が捨てた網に頭が挟まった状態で
見つかって救助された
サメ……。
野生に適応できなかった
ウミガメ……。
石油流出事故で
すみかを失った
ペンギンとか……。
残念な事情がある
いきものが多いんだ。
僕は彼らが
自然環境にうまく適応できるよう、
最善を尽くして手助けする
つもりだよ。

サノに比べたら、エッグ博士の
コミュニケーション力は
アマチュアレベルだね。
プフッ
ウッ……。

平静を装う
それは認めるよ。
採集能力は
まったくなかった君が
こんなに素敵な
アクアリストに
成長してたなんて、
本当に感動したよ。

でも僕は、クモはよく捕まえてたよ。君は今でもクモが怖いんだろ？
何だと!?

そ、そんなことないよ！今はクモとすごく仲いいんだから！
そうなの？でもクモはそう思うかな？
ああだ
こうだ
スッ
……。

ワン博士、そろそろ出発の時間だぞ。
師匠！
はっ？タコ？

海に出かける準備はいいかな？
はい！大丈夫です！

今度のミッションをクリアしないと正式なアクアリストに認められないことをよくおぼえておくように。
キラッ

じゃ、気をつけてな。
はい、師匠!!
ペコッ
師匠？
ミッションクリア？

あの人は僕がアクアリストになれるよう導いてくれたんだ。
実は僕はまだ入ったばかりで。
ウ〜ン
クッ。こいつ、やっぱり見栄を張ってたのか！
僕はこれからミッションを遂行するために海に行くよ。君たちが夢にも見られなかった、とっても重大な仕事さ！
何？
じゃ、僕はミッションを遂行しに海に出発するから！機会があればまた会おう〜!!
ミッション？何のミッション??教えろよ、アシヒレ!!!
タ
タ
タ
ピチャ
ピチャ

海のいきものにえさを与えよう！

水族館の中の海のいきものにえさを与える時間です！
でも、なかにはお腹がいっぱいのいきものもいるので、
お腹を空かせているいきものだけにえさを与えなくてはいけません。
ゲーム方法を参考にして、えさを与えるいきものに○をつけてみましょう。

ゲーム方法

いきものの頭上にある現在の状態の数字は、数が小さいほど空腹で、数が大きいほどお腹がいっぱいという意味です。えさを与えると現在の状態に5を足すことができますが、その結果が10を超えてはいけません。

3+5=8だから、この魚には与えられるね。

正解：152ページ

第2章

フニャフニャ、タコ・イカ・クラゲ

軟体動物のイカとタコ、そして刺胞動物のクラゲに
会ってみよう！

第7話

挑戦！水中ドローン探査！

まあ、僕らのほうも悪くないよ。今回アップした水産市場とか水族館の映像も反応がいいし〜。

これ見て……。
あっ!?
トン
トン
トゥヒョン
ところで博士たち、海には行かないの？
ジョージ
海！ 海！

チャンネル登録した人から、海に行ってほしいというリクエストが多いんだ。
第１話参照
海に行こう！
ウン博士、僕たちも海をすごく期待したんだけど。
コクッ
ムッ

よし！海に出発だ！
すぐに採集の準備を始めるぞ！
海のいきものを採集して、素敵な映像を撮るよ！

そうして、3人の博士は採集の準備を始め、
観察探求装備アップグレード～。
ウィーン
おいしいえさを作ってみよう～。
モミ
モミ
ペットボトルを集めて～。
みんな準備はできた？
オッケー！
じゃ、出発！

ザザァ
そうしてある海辺に到着したが……。
海よ～！
僕らが来たぞ！

今までにない
すごい映像を
撮るぞ！
ビュー
バシャッ

今回の映像は
名づけて、
水中ドローン
探査!!

エッグ博士と一緒に 水中ドローン探査計画

さあ～、
水中ドローンのお通りだ～!!
何だ、あれ？
ジーン
初めて見る奴だぞ？
変な形だな。
侵入者だ！
おお、
タコ発見！

タコは夜行性だから
昼間は主に岩の隙間に
いるんだ。
あっ、隠れるよ!!
ノロ
ノロ

他にも軟体動物は
いないかな？
キョロ
キョロ

え!?　どこ？
見えないけど。
いるさ！　ここに
こんなに！

え？
サザエが？
このいきものもみんな
軟体動物なんだ。
ドドーン

そう言えば、これらの
いきものはみんな骨がなくて
体が軟らかいね！
うん、硬い殻で
体を保護しているだけで
みんな軟体動物なんだ。
カタツムリ
カキ
二枚貝
サザエ
カワニナ
イガイ
タニシ
巻き貝

軟体動物には陸地に生息するカタツムリなどもいるけど、ほとんどが海や川、湖などに生息してるんだ。
世界中に10万種を超す軟体動物がいるんだ。

タコやイカは軟体動物の中の頭足類に属しているよ。
こんな子たち～。
タコとかイカとかだけが軟体動物だと思ってたけど、違うんだね。
ボリッ
タコ
イカ
フニャ
フニャ

何だ、これは？
コツソリ
ギギギギ
ハッ、逃がした！ドローンが言うことを聞いてくれない！

あっ、タコが外に出てきた！
ウィーン
よし！　アームで捕まえてみよう！

心配無用！網かごに何か入ってるはずさ。
ジャジャーン
アハ～

何がいるか、引っ張り上げて確認してみよう～！
ヨイショ～

1匹もいない！
えさだけきれいに取られた！
空っぽじゃん!?
ガラ～ン

採集の王、ヤン博士がこんな屈辱にあうとは!!!
ウウッ
ドドッ
今回の映像は……。
失敗かな……。

また後で撮影することにして、まずはドローンを回収しよう！
OK～。
ガサ
ゴソ

あれ？
デーン

え！? なんとか外してよ！
ドローンが外れない……！
グ
グッ

パラ
パラ
雨……！
天気も味方してくれない。

ザアア
いったん今日は引きあげよう!!!
1回目の水中ドローン採集、見事に失敗！

海の中の かすかな光

光が好きなイカ

イカは光を見ると反応して集まるという性質があります。これを「走光性」といいます。漁師はこのようなイカの性質を利用して、深夜や明け方に船の電球をいっせいに点灯します。そして、イカの群れを集め、網などを利用して捕まえるのです。

明るく光を照らすイカ漁の船

ユラユラ
ウッウッ

スルッ
エ〜ン

もう、イライラして見てられん！
ビックリ！いつからそこにいたんだ！?
パッ

あいつに気をつけな！さっき昼間に動き回っているのを見たぞ。

おい、タコさん。これのどこが生きているんだい？
トン
トン

ハハッ
とにかく偉そうに……。
ジーン

ほら見ろ～。
ゲッ
ギャ～ッ！
カシャッ

ウウッ
おい、ホタルイカ、コウイカ！　置いてくなんてひどい！
ビュン
ビュー
ウワ～！逃げるぞ！

☆集中探求☆

イイダコは巻き貝の殻を隠れ家にして体を隠したり、卵を産んだりします。

うん、
イイダコさん。
助けて～！
ヒラヒラ
ワア！
ここはプランクトン
天国だ！
光があって
よく見えるぞ！
ピタッ
あっ！
エビだ！

ムカッ
待って！
どこに
行くの！
腹ペコだったから
ラッキー！　おいしい
エビを捕まえよう！

エーン、
助けて
くれ～！
バタ
バタ
ハア、俺の
出番かな。

キュッ

グイッ

すごい！
岩の隙間に挟まった
この怪しい物体をいとも
簡単に抜き出すなんて！
ついでに
僕の体も
ほどいてよ！
シッ、
わかったから
静かに！

足の力を
抜いて！
ピカッ
ピカッ

えっ、これは
何の音？
ピッピッピッ
あっ！
みんな、ドローンが
動いてる～!!
ブル
ブル
ハッ

頭足類について調べよう！

タコやイカのように頭に足がついているように見える軟体動物を**頭足類**といいます。頭足類は海にだけ生息していて、世界中に800種ほどいます。

頭足類の種類

足が10本の種類

足が8本の種類

硬い殻を持つ種類

頭足類の特徴

頭足類の皮膚には色素胞があり、体の色や模様を変化させることができます。これを利用して、敵から身を守ったり、仲間とコミュニケーションを取ったりします。

皮膚の色を変化させて敵に警告するタコ

＊頭足類の足を腕ということもあります。

あれ？
どうしてこんなに
重いんだ？
手伝って！
明け方に雨がやんで
よかった。

ヨイショ

ザーーッ

ガ〜ン
ハッ！
これは
何……！？
ゾロリ

これはどういうこと？
タコにイカまで
ついてきた！
カシャッ
アームを
外してあげよう～。

すごくラッキー！
すぐに撮影しよう！
……？
……！

ウワッ！
お前たちは誰だ！
スミ攻撃を
くらえ!!!
緊急事態！
攻撃開始！
プシュッ
偶然にイカとタコを捕まえた
博士たち！ 果たして取材は
うまくいくのでしょうか？

頭足類を観察する

実際にタコやイカを見る機会があったら、
気づいたことなどをまとめてみよう。

タコの仲間

気づいたこと：

調べたいこと：

イカの仲間

気づいたこと：

調べたいこと：

観察レポートを自由に書いてみましょう。

ホタルイカ

富山県、兵庫県など日本海側でとれる小型のイカで、発光するイカとして知られています。

気づいたこと：

調べたいこと：

イイダコ

瀬戸内海沿岸や愛知県、熊本県、福岡県などでとれる小型のタコで、子持ち（卵を持つこと）になる1～3月が旬（おいしく食べられる時期）です。

気づいたこと：

調べたいこと：

第9話

電撃比較！
タコとイカ

ふ〜……、
なんとか捕まえた。

今から撮影を
始めようか？
いいよ。
でも……。
グラ
スッ
グラ

不安だ！
フワ
絶対この
いかだの上で撮影しなきゃ
いけない？
もちろん！
フワ

サノを意識して
ペットボトルのいかだを
作ったわけでは
絶対ありません！

？

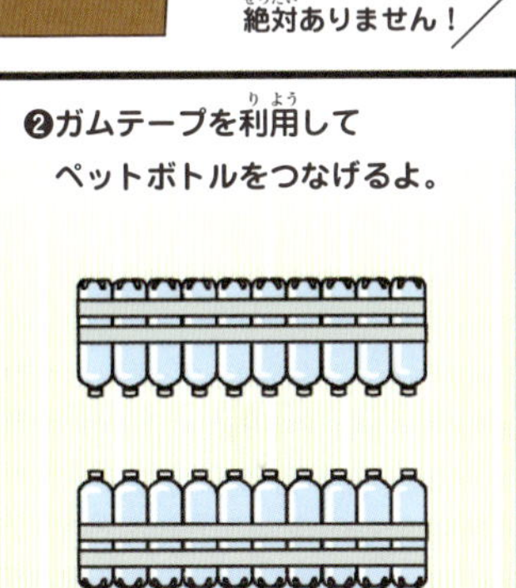

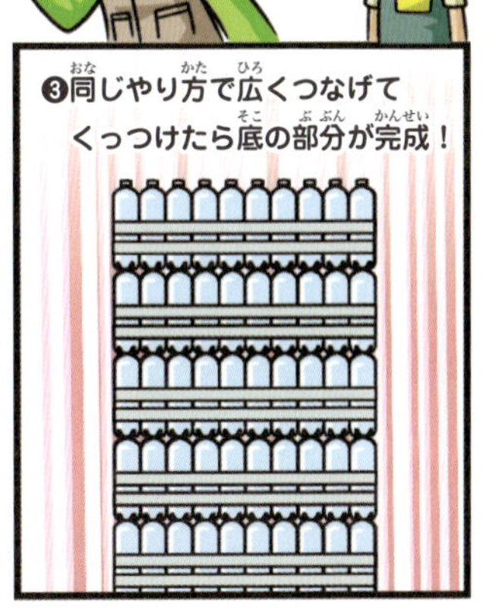

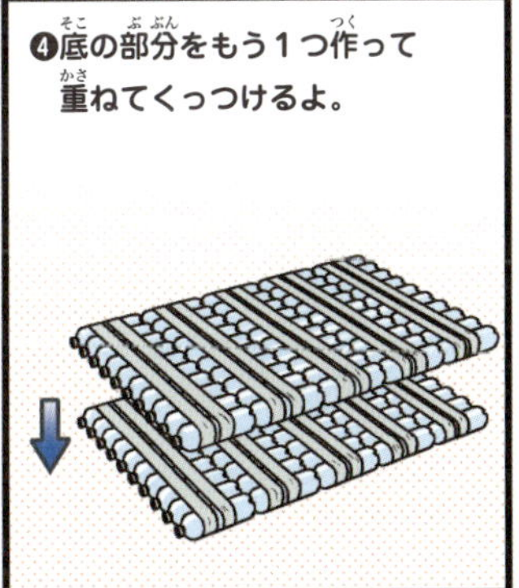

タコとイカの比較観察
写真で観察する
タコとイカ！
タコとイカの
頭のように見えるところは、
実は胴なんだ！
心臓などの器官が
この胴にあるよ。
胴
頭
足
ウワッ！
タコ
目
２つの目で光の強さと
ものの形などを見分け
ます。
漏斗
漏斗
水やスミを吐いたりす
る器官で、ここから卵
を産んだりもします。
カシャッ
タコは体を広げて
浮かぶよ〜。
口
口
８本の足の中に隠れて
います。
タコには
歯舌という
歯があるよ。
吸盤
８本の足でものをつか
んだり獲物を捕食した
りします。吸盤を使っ
て、ものに吸着します。

墨汁嚢

敵に出合うと吐いて逃げるのに使うスミをためるところ。

ひれ

ひれを振って方向を変えるよ。

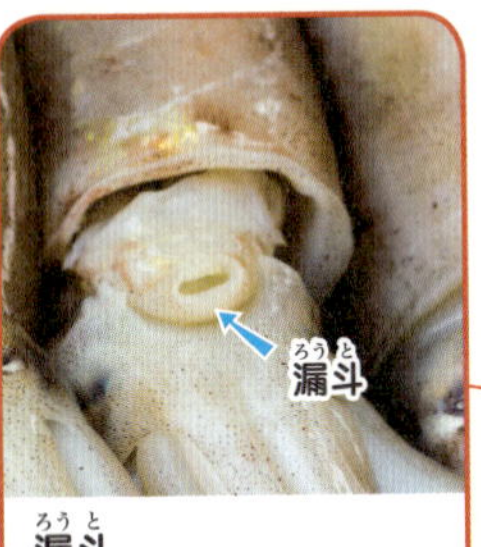

漏斗

ここから水を勢いよくふき出して、前に進むこともできます。

目

２つの目で光の強さやものの形などを見分けます。

イカは足が10本でタコより多いよ。このうち、長い２本は触腕と呼ばれ、獲物を捕まえるときに使うよ。

イカの骨は＊甲といい、貝殻のなごりと考えられているよ。

＊甲：スルメイカやヤリイカの甲は、とくに軟甲と呼ばれます。

変装したタコの姿

変装したイカの姿

タコ新聞

ドイツの占い師のタコ「パウル」

サッカー・ワールドカップの予選から決勝まで、結果を的中させ世界中を驚かせたタコのパウル君の行動が注目を浴びました。

タコニュース

速報！　タコが脱出

ニュージーランドの水族館にいた「インキー」というオスのタコが水族館を脱出して海に戻ったことがわかり、人々を驚かせた。

さあ、みんな～！
これからタコがココナッツの皮をどうやって活用するのか、見てみよう！
●REC

モゾ
モゾ
こんなの朝飯前さ。

スーッ
オオ～！みんな、今の見た!?
ココナッツの皮を利用して体を隠したよ！

タコは道具を上手に利用するとても利口ないきものだね！
エッグ博士
ヤン博士
ゾロゾロ
実験が終わったら海に返して！
次に、2つ目の実験を始めよう！

今度は博士たちの
名前が書かれた
おもちゃの家を置いて
みるよ～！
エッグ博士
ウン博士
ヤン博士

はたしてタコは
誰の家に遊びにいくでしょうか！?
ドキ
ドキ
ドキ
ドキ
ウン博士
ヤン博士

ヤン博士の家を選択!
チュー
ヤン博士
やったー！
タコさん～!! 僕らの
友情はこれからだ！
ガバッ
ヤン博士にスミを
吐いたのを気にして
選んだんじゃないの～？
まさか……。

タコ♡ヤン博士の
友情、ブラボ～！
アアッ！
ヨロッ
グッ
アッ!?

あれ！
いかだが
浸水してる。
アッ！
僕も！

ダメだ。
イカとタコを返して
早く戻ろう。
ガムテープが水に
ぬれて、接着力がどんどん
弱くなってる！
ザァ
ベロン

みんな、
バイバイ！
ポチャッ
あれ？
……。

じゃ
ないってば！
プシュ～
コトン
ピチャッ

タコが行かずに
ずっと僕を見てるよ！
もしかして僕との別れを
惜しんでるのかな？
ジーン
えさ

タコって
本当に
頭がいい！
プハハ～！
タコの目的は別に
あったんだね！
たっぷり
これが
欲しかったのさ！
ハハ
一瞬で
ちゃっかり持って
いっちゃった！

そうだ！
こんなことしてる
場合じゃない！
早く陸に向かおう！
どんどん
沈んで方向が
定まらない！
バシャ
アタ
フタ
バシャ
バシャ

あれ？
何だろう？
プカ
プカ

クラゲの
群れだ！
ス
ス
ス……
すごい数だ！

第10話

クラゲの群れの襲撃

ウワッ！
ミズクラゲの群れだ！
ウジャ
ウジャ

いかだがどんどん沈むんだけどどうしよう？
砂浜は目の前だからそのまま泳ごうか？
君たち、本当にのんきだな……。

おお、カメラで撮らなきゃ！
カシャッ
カシャッ
今そんなことしてる場合じゃないぞ!!!

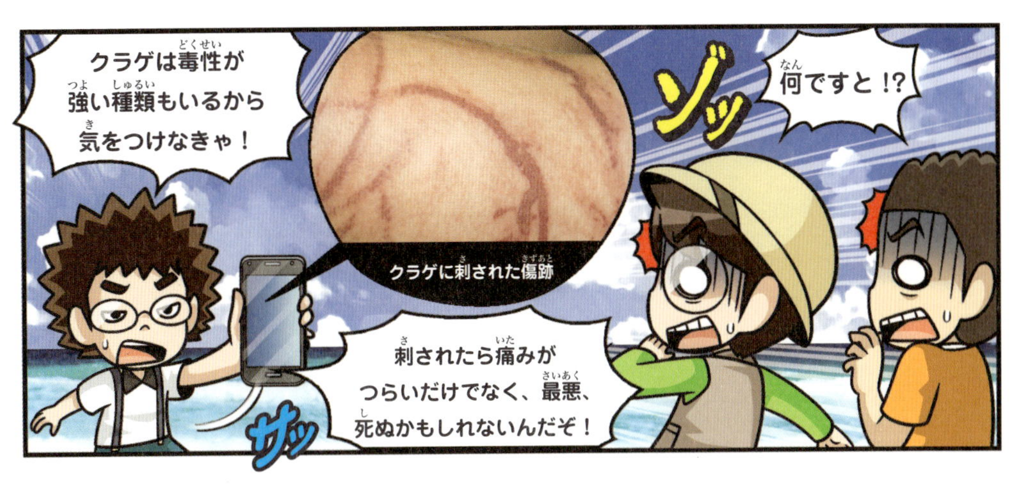

☆注意☆
船で海に出るときは必ず
救命胴衣を着用してください。

ここで
何してるの？
そのへんてこな
いかだは何だい！？
ザァッ
ワン・サノ！？

ワン・アシヒレ～！
僕らを助けて！
何？
アシヒレ……？

ふん！　アシヒレは
帰るね。
すねた
僕は
アシヒレじゃ
ないって！
トン
トン
トン
あ！　取り消し、
取り消し！

これからも
アシヒレって呼ぶかい、
それともやめるかい～？
呼ばない、
呼ばない！
ごめん、
ワン・サノ！
ゴボ
ゴボ

ガタ ガタ ガタ
ハアハア……。死ぬかと思った。
あの緊急事態で交渉をするなんてあざとい奴め……。
でもおかげで助かったよ～。ワン・サノ、ありがとう！
ハハ、ちょっとふざけただけだよ！

ところで、ここで何してたんだ？　まさか僕を追いかけてた？
そんなわけないだろ！　撮影に来たの！

ところで、ミッションを遂行しに行くって言ってなかったっけ？

すごい！　ここにいるクラゲって全部サノが捕まえたの？
ミッションは今、まさに進行中さ！
山盛り～

当然さ！
僕はこの区域の
クラゲ・ハンターなのさ！
大声

ワン・サノの最終ミッション
海の生態系を脅かすクラゲを退治せよ！
この子たちを
目標数まで捕まえたら、
水族館で正式アクアリストに
認定されるんだ。
どう？
半端ないだろ？

本当に透明だ〜。
え……。
全然
聞いてない
ホオ
英語でゼリーフィッシュって
言うらしいけど、本当にゼリー
みたいだね！
Jellyfish
クラゲを
こんなに近くで
見られるなんて！
ワ〜
プニ プニ

これ見て！
触手だよ！
クラゲの
秘密兵器！
せっかくだから
クラゲの映像も
一緒に撮ろう！
カシャッ
おい、触れない
ように気をつけろ！
手袋もして！
いきもの映像作家
だろ……。

クラゲの形態と特徴

クラゲは**刺胞動物**に分類されるいきものです。クラゲの口の周りには刺胞（毒針が収まった袋状の器官）を持つ触手があります。クラゲの他にも、サンゴ、イソギンチャクなどが刺胞動物に属しています。

クラゲの形態

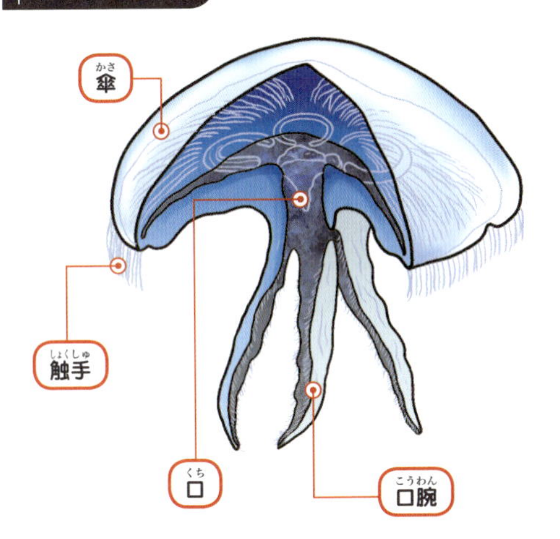

- ほぼ体が透明で、95％以上が水でできています。
- 傘の周りには多くの触手がついていて、これを使ってプランクトンなどのえさを捕まえます。
- 移動するときは筋肉を動かし、海水の流れに乗って移動します。
- 口腕には捕まえた獲物を口に運ぶ役割があります。

クラゲの種類

クラゲは大きさや形がさまざまです。主に鐘、皿、傘のような形です。

エチゼンクラゲ

カツオノエボシ

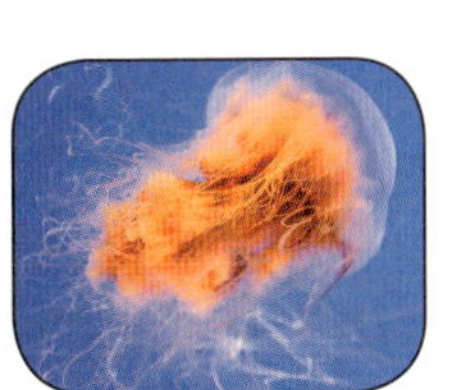

ユウレイクラゲ

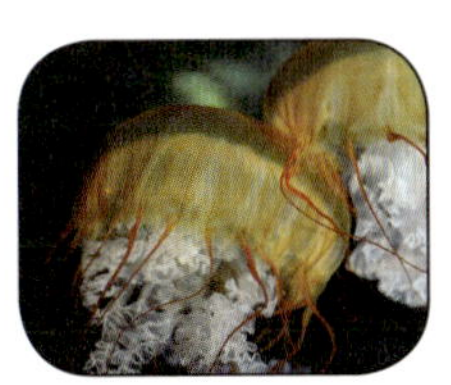

パシフィック
シーネットル

オキクラゲ

クダクラゲの仲間

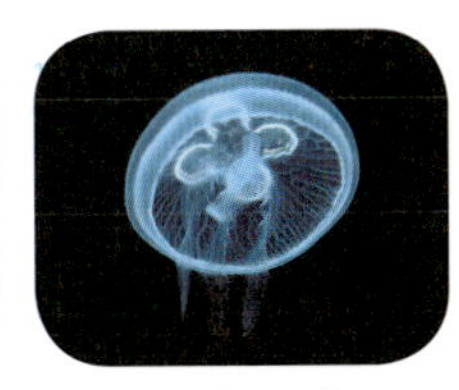

ミズクラゲ

これらは毒を
持つクラゲだよ。
見かけたら
すぐに逃げて！

ところで、クラゲがみんな元気なくのびてるね。
クラゲは水の外に出ると体の形を保つのが難しいんだ。

わっ、すごくでかい！　あれは何て言うの？

エチゼンクラゲだよ。傘の直径が最大で２m、重さは200kgにもなる超大型クラゲなんだ。
体が大きいだけあって、毒の量も多く海のいきものだけでなく、人間にも深刻な被害を及ぼしているんだ。
だからってこんなにクラゲを捕まえるのは少しおかしくない？

ウン博士！　君は机で勉強ばかりしてたよね。海の実情は何も知らないんだね。
カチン
何だと！

クラゲは地球温暖化によって水温が上昇し、天敵が減ったことで個体数が急に増えてるんだ！
世界のあちこちでクラゲ退治プロジェクトが行われてるんだぞ！
グッ

エッグ博士と一緒に調べる

クラゲ退治プロジェクト

エチゼンクラゲやミズクラゲの数が急激に増えています。

毒性が強く漁業被害も大きいエチゼンクラゲ！

漁業に被害を与えるミズクラゲ！

クラゲ注意報発令！

地域や関係機関との協力システムの実施！

クラゲ退治作業実施！

クラゲ防除網を活用

クラゲの＊幼生退治

クラゲ退治ロボットの使用

漁業関係者の協力

クラゲ被害のモニタリング実施！

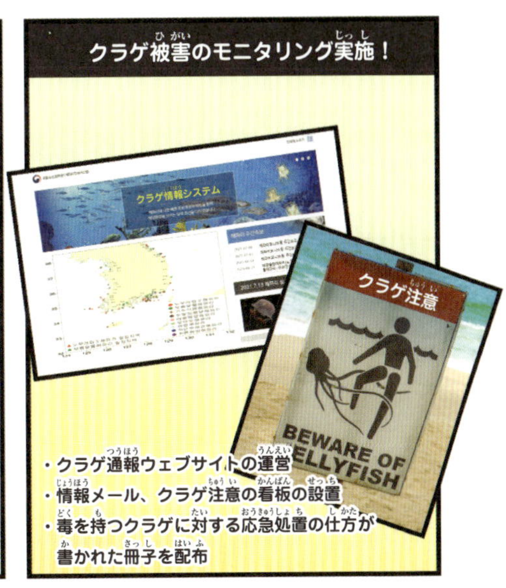

・クラゲ通報ウェブサイトの運営
・情報メール、クラゲ注意の看板の設置
・毒を持つクラゲに対する応急処置の仕方が書かれた冊子を配布

＊幼生：幼い個体。

今僕が受け持つ任務に、
水産業の未来が
かかってるんだ！

本当？
よし！　じゃ、
僕らも手伝うよ！
ウォー

そりゃ……、特定の
生物だけ増えると問題が
起きるものだよな。
そこまで
考えてなかった。
コクッ

自然のためなら
僕らも一肌
脱がなきゃ！
これでつかめば
いいんだよね？
ザッ
スッ
みんな……。

僕たち……、
離れてはいても、自然を愛する
気持ちはいつも同じなんだね。
ジ～～ン

おお～！
あそこに大きな
クラゲを発見！

よっしゃ～!!
ヒュッ
やめろ～！！
ヤン博士!!!
ピチャッ

クラゲ退治作戦！

3人の博士とワン・サノがクラゲ退治を始めたよ！
2つの絵を比べて異なる箇所を10個見つけよう。

正解：153ページ

海上でピンチ！

ど、
どうしたんだ、
サノ？
あんなに大きな
クラゲを素手でつかむと
刺されるかもしれない！

ウッ……、心配しないで。
採集には自信があるから。
ショボン
知らないん
だな～！

サノの言う通りだ。あれほど
大きなクラゲに刺されると
死ぬこともありうるよ。
コクッ
コクッ
何？
死ぬ !?
ビクッ

クラゲに刺されて亡くなった人の
ニュースを見たことがあるよ。
毒を持つクラゲが出現！
クラゲに刺され8歳児死亡
「殺人クラゲの襲撃」
10代の少年、搬送先の病院で死亡
オーストラリアの海で泳い
でいる時に
クラゲに刺された10代の
少年が死亡し
たと○○通信が報じた。
○○海水浴場で
クラゲに刺された
児童が亡くなる事件が
伝わり、市民の間に
恐怖を感じる声が
高まっている。
そ、
そんな！
ハッ！

その上、さっき君がすくいあげたクラゲはとても強い毒を持つ奴だったんだ！
これ、毒クラゲ情報！
危なかったね、ヤン博士。

この中で毒が際立って強いのはハコクラゲの仲間なんだ。このクラゲが頻繁に見つかる時期には、初めから海水浴場を閉鎖してしまう国もあるよ。
痛みがひどくて気絶することもあるんだ……。
これに刺されるとさっきウン博士が見せてくれた写真のように、体に大きな傷ができるかもしれないね。
毒クラゲ情報
ハコクラゲ
ミズクラゲ
エチゼンクラゲ
ゾッとする……。
ブルブル

エッグ博士と一緒に調べる
クラゲの毒の応急処置法
早く
海から出よう！
ウワ～！
クラゲの群れだ!!!

❶毒クラゲに刺されたら直ちに
海から出ましょう。
ウッ、
痛い！
ここに
座って。

❷刺された部位を海水、
または生理食塩水で十分に
洗ってください。
刺された部位に水道水や
アルコールなどを使うと、
毒が広がるかもしれないから
絶対に使っちゃ
ダメだよ!!
食塩水
ミネラル
ウォーター
水道水
アルコール

❸皮膚に残っている触手は
ピンセット、またはカードを
利用して抜き出してください。
素手で刺さった
触手にさわるのは
危険だよ！
そろ～り

❹刺された部位の傷や痛みが
ひどい場合は、氷水などで
冷やすとよいでしょう。

❺患者の状態がよくないときは、
迷わず医療機関を受診してく
ださい。
SOS

海で永遠に眠るところだったよ……。本当に気をつけなきゃ。
シュン

はは！　大丈夫だよ！これから防護服を着ればいいんだから。
ビシャッ

スズメバチ退治を思い出すね。
キチッ
あのときも防護服を着てしっかり準備したね。
キチッ
クラゲを退治するときも保護装備が必要なんだ。

さあ、本格的にクラゲ退治始め～！！
ジャ～ン
ファイト！

緊急SOS！
エッグ博士とクラゲ退治
巨大クラゲ発見！
フワフワ
ウワッ！目の前で逃がしちゃった！
ウウッ、速い!!
ドスッ
脱出！
ウワッ
大きすぎる！助けて!!
ハッ！ 体が切れちゃった。
ウワッ！ごめんね……。
思ったよりよく切れるね。
そうだね……。
真っ二つ
サッ
山盛り〜
サノ、最高〜！
クラゲキャッチャー認定！
ハア……。船酔いが……。
ウウッ
助けて！
クラゲを捕まえるどころじゃなさそうだね。

目標数まで
まだまだだぞ！
早く起きて、諸君！
ハッ
ラッ
もう限界～。
ハア、とっても
大変な仕事だね。
ゲェ

クラゲを捕まえるのは
簡単じゃないだろ？
体力とコツが必要さ。
暗くなって
きたし。
今日は
ここまでにして
戻ろう。
どんより
船酔いのせいで
余計に大変。

グラッ
ビュー
ピチャッ
ウワッ！

天候が穏やかじゃ
ないぞ……！
ヒュ～
すごい
風だよ！
ザブン
ザブン
帽子が
飛ばされる
ところ
だった……。
さっきから
雲行きが怪しかった
……。

パラ
パラ
雨まで
降ってきた!!

スタタッ
いけない。
もう戻らなきゃ。
パチ
パチ
そうしよう！

ゴロゴロドーン
ビクッ

大変だ。
嵐だ！
ザブン
ザブン
みんな
しっかり
つかまって！
ウワッ！
波が尋常じゃ
ない！

あれ？ さっきまでここに
いたクラゲたちはどこに
行ったんだろう？
ザザア

……!!
ザァァ

ウワァ
大変だ……。
急に嵐に出くわして
方向を見失っちゃった。
何～？
しゅ、
集中して！
できるから!!

嵐が来るとクラゲの
群れは……。
今のこの状況、以前
ドキュメンタリーで
見たぞ！
ザザア

ワン・サノ！
クラゲについていこう！

天気予報では嵐が来るって言ってなかったけど……。どうしよう、師匠……！

ビュ〜
クラゲについていけば助かる!!
ゴロゴロ
ザアア

嵐の中のクラゲの群れ

波も少し弱まったみたい。
チャプ
チャプ

ポツ
ポツ
あっ！雨がやみそうだけど？

ゴロゴロ……
あれ見て！嵐が逆方向に向かってる！

クラゲの群れは嵐を避けるために移動中だったのかも。
何!?
ザザァ

どうなってるんだ？クラゲについてきたら嵐から抜け出せた……。

＊クラゲの生態はまだまだ謎が多いよ。

実際、アクアリストの仕事を通じていきものと交流していたら、世の中に悪いいきものなんかいないって思うようになったんだ……。
ところが、クラゲのせいで被害が発生する現場を見ると、じっとしていられなくって。

ミッションを遂行することに必死で、クラゲの否定的な面ばかり見ていたみたい。
クラゲたちに申し訳ない……。

ドクターエッグ1 第6話参照
スズメバチだからって
むやみに殺しちゃダメじゃぞ。
スズメバチは他の害虫を
食べてくれるからな。
はい、
スズメバチも自然に必要な
存在だから。
勉強に
なりました！
そうだね。僕らも
スズメバチを捕まえるとき、
同じようなことを思ったんだ。
そのとき、おじいちゃんが
言ってた話を今でも
思い出すよ。
スズメバチも
自然の一部だって
ことを知ったんだ！

あ～！ どうしよう？
その話を聞くと、
クラゲ退治はもう
できないよ！
きっと何か
いい方法がある
はずだよ！
バタン

待って！
あれはいつから
消えてた？
真っ暗
え……？

さっき
嵐に遭遇したときに
故障したみたい。
なんか
暗いって思ったよ。
また点灯させて帰ろう！
何!?
のんびり
しすぎだろ！

あれ？

寒い！
腹減った！
何してるんだ！
早く起きて
直さなきゃ！
ワ
ア
ワ
どうしよう？
照明の直し方は
知らないんだけど。
まあ、明るくなるまで
待つしかないね。

みんな
あれを見て！

ピカッ
ピカッ

海が輝いてる!!!
ウワァ
クラゲ?
ピカッ
☆集中探求☆
クラゲの中には、自ら光を放つものがいます。オワンクラゲもそのひとつです。日本の下村脩博士は、オワンクラゲの発光のしくみを解き明かし、GFPという蛍光タンパク質を発見して、2008年にノーベル化学賞を受賞しました。GFPは、青色の光が当たると、緑色に光るタンパク質です。

クラゲが光を放つって本当だったんだね……！
素敵だね……！
うっとりする！

クラゲの光のおかげで帰れそうだ。
今日はクラゲに助けられた。
よかった、万歳！
サッ

トントントン
戻ってきたのう。

陸地だ！やっと到着した！

あれ？あそこに人が……。
スーッ

ワン博士～！
あっ、
師匠！

わが弟子がミッションを
順調にこなしているか
心配で来たんだ。
チクッ

師匠、
どうしてここに？
こんにちは、
タコ師匠……。
シッ！
はは……。

師匠……、今回のミッションは
失敗、いやあきらめます。
ワン・サノ
……!!
アクアリスト
ワン・サノ

むやみにクラゲを退治しちゃいけないと思います。

クラゲが急に増えたのはクラゲのせいじゃないから……。
正式アクアリストになるために、もう少しがんばってみます。

よくやった。ミッションを正しく遂行したね。
し、師匠？
スッ
正式アクアリストの名札!?
オオ～！

実は、クラゲをむやみに捕らえるのは最善じゃないかもしれないんだ。クラゲのうち数種は刺激を受けると卵と精子を放出する習性があってね。
え!?
逆にクラゲが増えるのを助けたってこと……？

生態系の問題は、決して簡単じゃない。それに気づいたなら、もう正式アクアリストになる資格があるんだよ。
正式アクアリスト
ワン・サノ

クラゲが私たちの役に立っていること

クラゲから見つかったGFPの応用

オワンクラゲから見つかったGFP（139ページで紹介）を応用すると、生物の生きた細胞の中で起こっている現象を観察することができます。そのため、GFPは生物学や医学の研究で広く用いられています。

ビゼンクラゲ

キャノンボールジェリー

ブルージェリーフィッシュ

食用クラゲ

一部のクラゲは栄養価が豊富でありながら、カロリーが少なく、人間にも有用な食材になります。

ヤンシェフ印
クラゲの冷菜！

クラゲの個体数の増加を止めるには？

クラゲをえさにする海のいきものは、人々が捨てたビニール片をクラゲだと思って食べ、お腹をこわして死ぬことがあるといいます。
クラゲをえさにする海のいきものが減ると逆にクラゲの数が増え、クラゲによる被害が私たちに返ってくるでしょう。
このような悪循環を防ぐためにも、海や川にゴミを捨ててはいけないのです。

サノ、結局、
正式アクアリストになったね！
偉そうにしてたけど……。よかった〜。
正式アクアリスト
ワン・サノ
最高のアクアリストはここで失礼！
あいつ、がんばったな！

僕らもそれぞれの持ち場で使命感を持ってベストを尽くそう！
いいね〜!!
今回海で撮った映像を早く子どもたちに見せてあげたいなあ。

うん？
ガサ
ゴソ

ド、ドローンがない……。
嵐のとき海に流されたみたい……。
ガラ〜ン
何だって!?
ウッ、また船に乗らなきゃいけないの？

「ドクターエッグ２」おしまい。次回もお楽しみに！

ふきだしを埋めよう

エッグ博士の絵日記

水族館でサノに会った日

今日、水族館でいろんな海のいきものを見学していたら、
偶然、昔の友だちのサノに会った。

アクアリストとして働くサノのカッコいい姿を見て、
僕も決意をあらたにした。

エッグ博士が描いた絵日記を見て、
空欄のふきだしに合うセリフを書いてみよう。

海でクラゲを捕まえた日

海の厄介者であるクラゲを退治するために、
サノと一緒にクラゲ漁に乗り出したけど、逆にクラゲに助けられた。

クラゲも自然の一部だってことを少し忘れていた。
今日の経験を忘れないようにするため、自然保護に役立ついろいろな計画を立ててみた。

解答例：153ページ

チーム・エッグの制作日記①

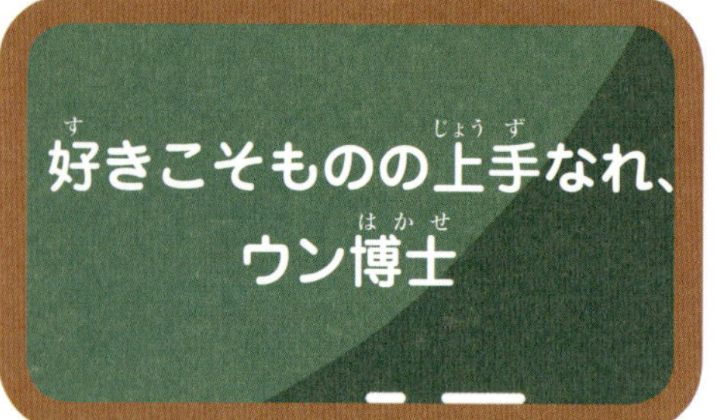

＊写真は実際の、エッグ博士、ヤン博士、ウン博士だよ。

チーム・エッグの制作日記②

さあ～、ヤン博士が手にのせるからどんないきものなのか当ててください。
ブルブル
サッ
両方似てるから、当てられないはず。
ニヤッ
ヒ～～ッ！ ぬるぬるしてる！ これ何だか知ってる！
ツルッ
フニャ
足が８本のタコ!!
正解……。
はい、次のいきものは……。
ウエーッ
スッ
この吸盤はイカの足の吸盤！
あんなに簡単に当てるなんて……。つまんない……。
あ、正解です……。
ふ～、これ何？ くだらない。
プシュ～！
何？ くだらないだと？
アッ！
僕の吸盤の威力を受けてみな！
ピタッ
ウワアッ!! 放して！
最高！ タコとイカのおかげでおいしい映像ゲット！
みんな早く海に帰って！
プシュ～
ジャバ
ジャバ
ハハハ
海のいきものの活躍でビックリショー大成功！

クイズの答えを確認しましょう。

50〜51ページ

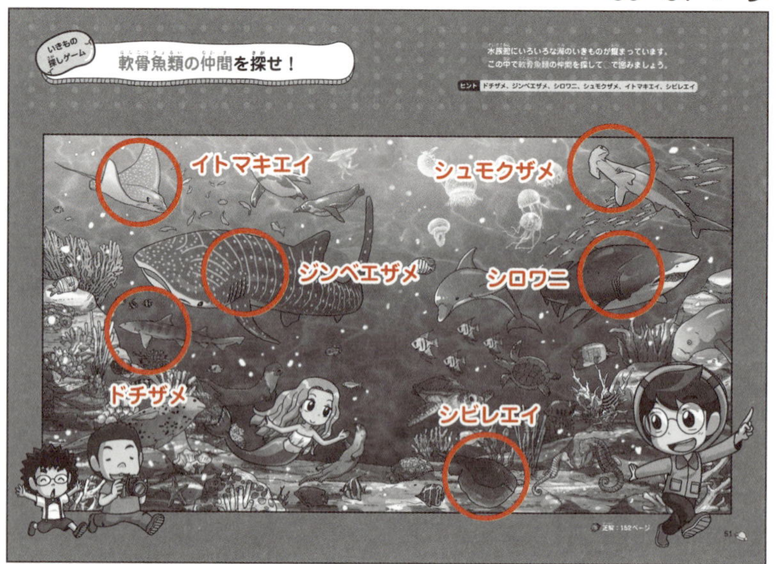

74〜75ページ

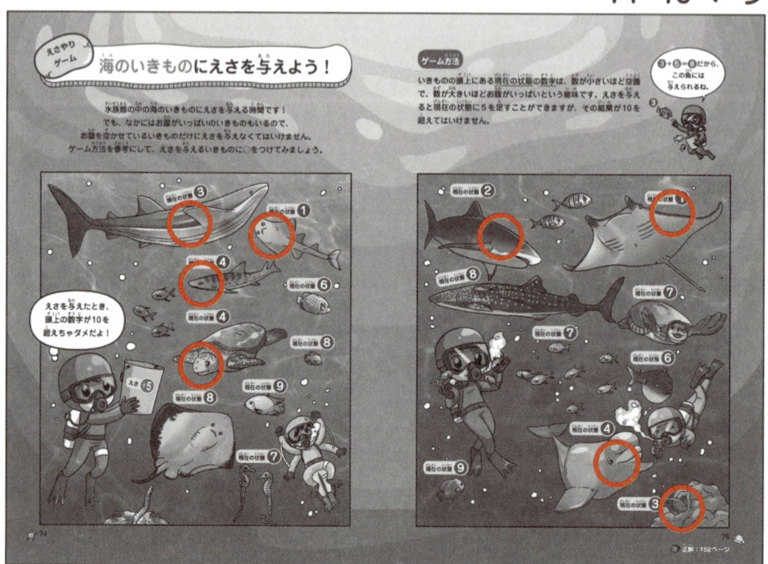

120〜121ページ

＊解答例

146〜147ページ

ドクターエッグ2　サメ・エイ・タコ・イカ・クラゲ

2022年3月30日　第1刷発行

著　者　文　パク・ソンイ／絵　洪鐘賢（ホン ジョン ヒョン）
発行者　橋田真琴
発行所　朝日新聞出版
〒104-8011
東京都中央区築地5-3-2
編集　生活・文化編集部
電話　03-5541-8833（編集）
03-5540-7793（販売）

印刷所　株式会社リーブルテック

ISBN978-4-02-332202-8
定価はカバーに表示してあります

落丁・乱丁の場合は弊社業務部（03-5540-7800）へ
ご連絡ください。送料弊社負担にてお取り替えいたします。

Translation：Han Heungcheol / Kim Haekyong
Japanese Edition Producer：Satoshi Ikeda
Special Thanks：Kim Suzy / Lee Ah-Ram
(Mirae N Co.,Ltd.)

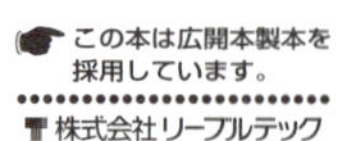

ドクターエッグ 3

カエル・サンショウウオ・ヒル・ミミズ

2022年初夏発売予定！

ドクターエッグ 4

ゲジゲジ・ムカデ・クモ・サソリ

2022年秋発売予定！

※デザインやタイトルは変更になる可能性がございます。

みんなに読まれて
1100万部
びっくりするほどおもしろい！
あるときは、恐竜世界にタイムスリップ！あるときは、深海にもぐって危機一髪！そしてまたあるときは、小さくなって体のなかを大冒険!!「科学漫画サバイバル」シリーズは、次々と襲いかかってくるピンチに、子どもたちが科学の知識と勇気で立ち向かう、ハラハラドキドキのオールカラー漫画です。
科学漫画
サバイバル
シリーズ
無人島
新型ウイルス
異常気象
人体
深海
ハラハラ
ドキドキ
ロボット世界
原子力
AI
台風
©Kang Gyung-Hyo,Han Hyun-Dong/Mirae N ©Jeong Jun-Gyu/Ludens Media Co.,Ltd.
昆虫世界
恐竜世界
人体
新型ウイルス
ロボット世界
宇宙
深海
アマゾン
氷河
南極
砂漠
サバンナ
自然史ミュージアム
極寒
干潟
無人島
山
海
洞窟
地震
火山
異常気象
原子力
竜巻
エネルギー危機
ヒマラヤ
台風
植物世界
大気汚染
アンコール・ワット
ナイトサファリ
地中世界
鳥
水不足
火災
湿地生物
微生物
激流
有害物質
AI
寄生虫
アレルギー
飛行機
ゴミの島
水族館
超高層ビル
山火事
地下鉄
キミは何冊読んだ？
●定価1,210円～1,320円(税込) お求めは書店、ASA(朝日新聞販売所)、ウェブサイトでどうぞ。
詳しくは▶ 科学漫画サバイバル 検索
すべての人に、価値ある一冊を ASAHI 朝日新聞出版